봄, 시를 뜨다

봄, 시를 뜨다

발 행 | 2024년 05월 14일
저 자 | 신디
펴낸이 | 한건희
펴낸곳 | 주식회사 부크크
출판사등록 | 2014.07.15.(제2014-16호)
주 소 | 서울특별시 금천구 가산디지털1로 119 SK트윈타워
A동 305호
전 화 | 1670-8316
이메일 | info@bookk.co.kr

ISBN | 979-11-410-8507-0

www.bookk.co.kr

봄, 시를 뜨다

목차

함께 해 주신 작가님

신디, 뇌라닝닝, 신똘, 오래, 홈즈사랑, 소금인형, 그림, 열착사, 사부자댁, 바나앨, 어여뿐천사, 또사, 유수, 살별, 루샤, 줄리아, 푸른나무향기, 하늘여자, 진희맘정희맘, MAX, Leo, Lucas, 준석, 그냥이랑 친구랑, MAX junior.

프롤로그

Knitter(니터)는
'뜨개질을 하는 사람'을 말합니다.
이 책은 니터들의 글을 모아서 만든 에세이입니다.

뜨개바늘을 잡은 손이 마음과 같이 움직이지 않고
서툰 뜨개질 솜씨로 수없이 떴다 풀어가며,
오로지 선물을 받고 기뻐할 그 누군가를 생각하면서
한 코, 한 코 편물을 떠내려가던 때가 있었습니다.

그때의 설렘을 안고
처음으로 뜨개바늘이 아닌 펜을 잡았고
각자 마음속에 담아두었던 뜨개질에 대한 생각과
일상 이야기를 글로 표현하였습니다.
저는 그 마음에 조금이라도 다가가고자 삽화를 그리기
시작했고 니터와 그들의 아이들의 동시를 함께 이 책에
담았습니다.

봄을 맞이하며 뜨개질하는 니터들의 감성이,
그리고 아이들의 순수함이,
애정을 담아 만든 뜨개 작품을 선물 받는
느낌처럼 따뜻한 마음으로 전해졌으면 좋겠습니다.

봄,

봄비와 카페

- 신디

봄비가 내리는 날
카페에 앉아서 뜨개를 한다

이 시간만큼은
누구에게도 방해 받고 싶지 않은
혼자만의 시간

내리는 봄비를 바라보면
마음도 차분해지고,
한 코, 한 코 뜨다보면
복잡했던 생각들도 정리되는 기분.

다정한 봄

- 오래

비, 밤, 바람
그리고 뜨개

봄비,
봄밤,
봄바람
그리고 봄 뜨개

그저 봄이 왔을 뿐인데
따스해진다

화사하고 다정한 봄을
뜨개에 담아본다.

뜨는 봄

- 소금인형

찬바람 몰아내고
지천에 꽃바람 잔뜩

겨우내
먹구름 머금은 뜨개 가방에도
꽃이 핀다

두툼했던 무게도
가벼워지고,
연분홍 노랑
초록 잎이 톡톡

바늘 줄기 따라 돋은 새순에
피어난 꽃잎.

봄을 뜨다

- 열착사

벤치에 앉아 봄을 기다립니다
어느덧 아지랑이 피어오르고
따스한 햇살에 눈이 부십니다

살며시 벚꽃 향이 코끝에 닿습니다
바람엔 벚꽃 잎이 흩날립니다
나도 모르게 두근두근 가슴이 뜁니다

떨어지는 꽃잎을 잡아 봅니다
손에 쥔 꽃잎을 떨구고
새 실과 바늘을 꺼내 듭니다
봄빛 색 니트를 뜨기 시작합니다

한 땀, 한 땀
손끝에 봄과 함께 뜨개를 합니다
벤치에 앉아 오늘도 봄을 기다립니다.

봄바람은 실을 타고

- 어여뿐천사

벚꽃 잎이 떨어진다

두꺼운 겨울 옷과 울 실을 던져 버리고
가벼운 봄 옷과 이쁜 색의 봄 실을 꺼내 본다
어떤 스타일의 옷을 뜰까 고민하며
찾아온 봄바람을 느껴본다

봄 꽃을 닮은 이쁜 색의 실을 찾아
대바늘에 코를 잡아 본다
떨어지는 벚꽃 잎을 보며
내 손은 대바늘 잡고
실을 잡으며 한 코, 한 코 떠내려간다

꽃잎이 떨어지고 나무에 파란 잎이 보이면
이쁜 봄 스웨터를 완성해서
입고 거리를 활보해 본다

봄바람은 이쁜 실을 타고
내 맘~ 내 곁으로 온다
언제나처럼
내 손엔 대바늘과 실이 함께 한다.

봄비와 블랭킷

- 사부자댁

봄날 봄비를 맞으며
나무들은 제각각
봄 꽃을 준비하고,

나는 순백의 데이지 꽃을
상상하며 춤추듯

이 봄날
태어난 생명을 위해
데이지 블랭킷을 준비한다.

내 손에 그려지는 고운 봄

- 또사

가느다란 바늘 한 손에 고이 잡고
고운 빛깔 실 한 가닥 한 손에 그러모아 쥐고
한 잎 한 잎 꽃잎을 그린다

정성스레 꽃잎을 하나씩 모으면
어느새 피어나는 귀여운 꽃 한 송이

그 꽃송이들 한데 모아
하늘도 칠해 보고 구름도 얹어본다

그렇게, 그렇게 내 손에 그려지는 고운 봄.

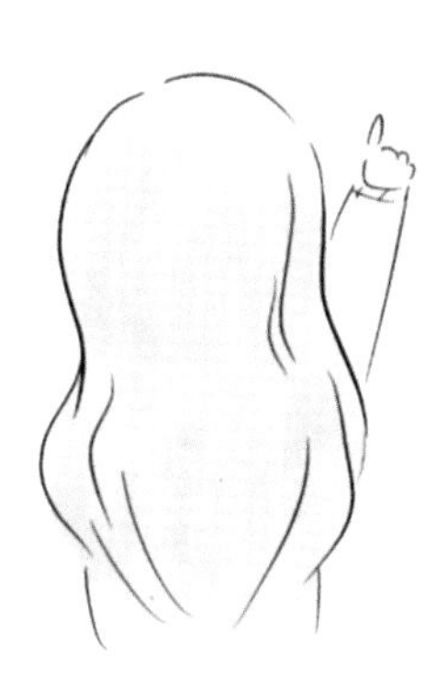

봄맞이

- 유수

꽃이 핀다 꽃을 뜬다

가벼워진 마음만큼
가벼운 실을 잡고

흩날리는 꽃잎 비를 보며
손을 움직이다가

파란 하늘을 보며
모자를 꺼내고,

흔들리는 나뭇가지를 보며
숄을 꺼낸다

얇아진 옷만큼
얇아진 가방을 들고

바늘은 잠시 두고
짧은 봄을 만나러 나간다.

위안

- 루샤

겨울 길 따라
실 구르다 보면

봄 피어나듯
편물로 피어난다

바늘 끝에서 만들어지는 봄

세월로 황폐해져 가는
내 가슴에 피는

내 웃음꽃.

우리가 꼭 다시 만날 4월

- 또사

화창한 4월,
네가 우리에게 온 그 계절
파란 하늘을 보니 문득 네 생각이 났어
갑자기 덮쳐오는 그리움에
황급히 바늘을 움직여본다

그리움을 바늘에 담으면
그리움을 실에 담으면
금방 괜찮아질 거야 되뇌면서
그러다 보니 이렇게 옷이 생기네

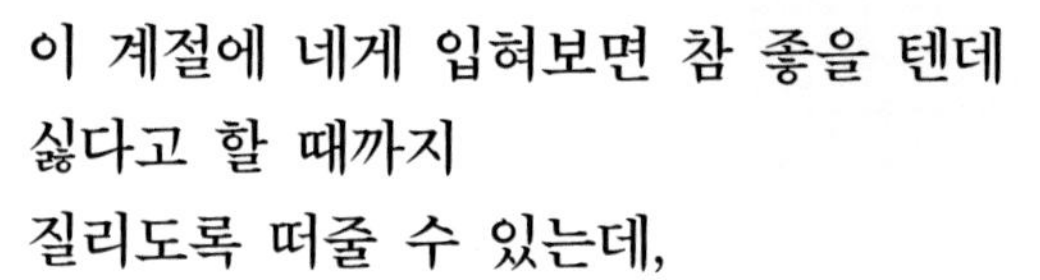

이 계절에 네게 입혀보면 참 좋을 텐데
싫다고 할 때까지
질리도록 떠줄 수 있는데,

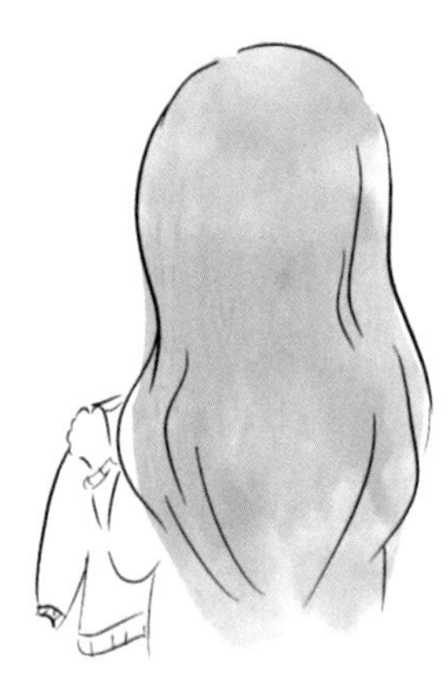

떠나면 다 후회만 남는다더니
못해준 것만 기억난다더니
정말 그래

이제 더운 여름이 가고 나면
네가 떠난 계절이 돌아오겠지?

그러면 난 또 사무치게 네 생각이 나겠지

덥쳐오는 그리움에
황급히 바늘을 움직여본다

그리움을 바늘에 담으면
그리움을 실에 담은 면
금방 괜찮아질 거야 되뇌면서

그러다 보니 이렇게 옷이 생기네
이 계절에 네게 입혀보면 참 좋을 텐데
싫다고 싫다고 할 때까지
질리도록 떠줄 수 있는데

떠나면 다 후회만 남는다더니
못해준 것만 기억난다더니
정말 그래,

이제 더운 여름이 가고 나면
네가 떠난 계절이 돌아오겠지
그러면 난 또 사무치게 네 생각이 나.

봄을 담은 뜨개

- 줄리아

톡, 톡, 톡
햇살 반쯤 가려진 창문에서 날 부르는 소리 있다

화들짝 놀라 바라보니
노란 부리에 꽃잎 하나 물고 있는
멧새가 봄 맞으러 나오라 한다

사뭇 가슴 설렌다
무념무상으로 한 코, 한 코 엮어가던
실과 바늘이 무색하다

오호라, 네가 준 꽃잎도 내 뜨개 안에 엮으리라
분홍 노랑 예쁜 초록의 봄빛도
가로세로로 넣어주마

가끔은 내 시름도 넣어
사랑과 아픔 모두 뜨개 안에 넣어줄게

이 봄도 맘껏 부풀어라
내 뜨개도 세상을 다 품어
꽃으로 활짝 피어나라.

봄날

- 진희맘정희맘

겨울에는 따뜻한 옷을 위해
대바늘을 친구 삼아 한 계절을 보냅니다

바늘 친구 실 친구 같이 시간을 보내면
다양한 무늬를 가진 옷 친구가 생깁니다

옷 친구 만날 때까지
많은 어려움도 있지만
이겨내고 나면 뿌듯함이 생깁니다
겨울이 지나면 찾아오는 봄
봄에는 코바늘 친구가 기다립니다

다양한 색 실 친구들 코바늘과 만나면
가방도 수세미도
수많은 소품 친구들도 만나게 됩니다

코바늘도 실 친구를 만나면
즐거워 하는듯 느껴집니다

앞으로 만나게 될 봄
그리고 실 친구들이 기대가 됩니다.

벚꽃이 활짝 핀날

- 살별

소집 해제한 큰아이가
부산 여행 간다고 차를 가져갔다
“언제 오니?”
“몰라요. 하하하…”
마음속으로 “나는?”
왜 꼭! 없을 때 필요한 날이 오는지 알 수 없다

오늘은 사전 선거 날 시작일
내 주권 행사하려고 곳곳이
면사무소까지 걸어가는데
벚꽃이 아주 활짝 웃고 있다
곧 지려는 걸 아는 걸까? 내 눈에는 절정이던데.

꽃길 만끽하면서 투표하고 오는 길에 신발을 보니
군대 간 둘째가 사준 연보랏빛 나이키 운동화
깔 맞춤이 되었네

오, 이 시간이 지나 내년이면
둘째도 제대할 수 있다는 생각과 함께
꽃에게 ‘내년에 또 만나!’

푸르시오,

너는 무엇이 되려 했느냐

- 열착사

꼬불꼬불 엉켜버린 너
뒤엉킨 너를 보며 나는 고민에 빠진다
이쯤에서 그냥 끊어내야 할지
차근차근 실타래를 풀어야 할지

얼기설기 꼬여버린 너
꼬인 너를 보며 나는 또 고민에 빠진다
다시 한번 잘라내야 할지
한 올 한 올 실뭉치를 풀어야 할지
나는 잠시 멈추고 너를 바라본다

가만히,
네가 어디서 오고 어디로 가는지 들여다본다
천천히 시작을 살피고 끝을 찾아본다

하나하나 살며시 풀다
머리채 잡듯 한 움큼 뽑아버리고 싶다

풀리지 않는 매듭 같은 너,
너는 무엇이 되려 했느냐?

푸르시오

- 그림

괜찮아,
다시 하면 돼
발등 위로 우르르
라면을 쌓으며
다독다독 되뇌는 말

틀렸다고
세상이 끝난 게 아니야!
다시 코를 잡고
처음부터 시작하면 돼

괜찮아,
진짜 괜찮아
기껏 쌓아 올린 시간
無로 돌아갔어도

흔적은 남아 헛심 쓴 게 아니야

어디서 틀렸는지 알았으니
다시 하면 돼
괜찮아.

뜨개인들의 은어
(삽질=푸르기반복)

- 사부자댁

작품을 뜨다가
삽질…
꼭 한 곳에서 뭐에 홀리듯
삽질…
아무리 신경을 곤두세우고 떠도
또 삽질…,

어느땐 나도 모르게 큰소리로
"1, 2, 3, 4, 5…31, 32, 33, 34, 35…"
숫자놀이해도 또 삽질 하하

그래도
마지막엔 내가 이기는 삽질
삽질해서 완주한 작품을 바라보며
혼자만의 자화자찬! 하트!!
나의 뜨개 삽질은 ing….

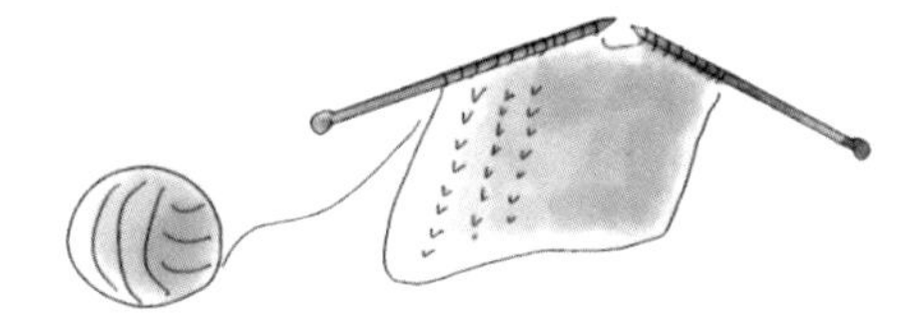

일상,

각자의 시간

- 신디

각자의 시간은 다르게 흐른다

실을 잡고 첫 코를 만들기까지
상당한 시간이 걸리는 사람도 있고
빠르게 익혀서 편물을 떠내려가는 사람도 있다

하지만 느리게 익히고 빠르게 익혔다고 해서
속도의 차이만 있을 뿐 완성되는 것은 같다
목표, 종착 지점이 있기 때문이다

시간은 각자의 시간대로 흘러가고
모두가 도안에 맞춰
정해진 길을 가면 되는 것이라
느리든 빠르든 아무도 크게 개의치 않는다

우리의 삶도 그렇다면 얼마나 좋을까?

오늘의 뜨개

- 신똘

어제의 후회를 엮어 한 코,
내일의 불안을 엮어 한 코,

비워지는 마음만큼
오늘도 쌓여가는 스웨터

내일의 너에게
잠시의 온기라도 되어주길….

내 꿈은 뜨개실

- 뇌라닝닝

따스한 봄
햇살 꽉 비추면
뜨개실 꽉 꺼내고,

조용한 밤
탁 전등 켜면
뜨개 바구니 탁 꺼내고,

작은 바늘
얇은 실로
내 꿈을 펼쳐본다

뜨개질이라면
난 뭐든 될 수 있다.

나는 니터 (래퍼버젼)

- 바나앨

나는 니터

한때 바느질 쟁이었던
나는 지금 니터

출근 전 한 시간
틈틈이 몇 바퀴

점심시간 30분
한 바퀴 못 돌아도 괜찮아

잠들기 전 한두 시간
한 바퀴만 더
조금만 더

나는 지금 니터.

뜨개는 사랑이다

- 신디

소중한 사람을 위해서
뜨개질을 하는 시간은 행복하다

누군가를 위해
실을 고르고 색상을 고르고,
완성된 작품을 선물 받고 좋아할
얼굴을 생각하면 마음이 설렌다

내 소중한 시간에
한 줄 두 줄 떠내려가면
나의 애정이 고스란히 담겨
예쁜 작품이 완성된다

누군가의 옷,
누군가의 가방으로
새로이 탄생한 작품을
정성스레 포장하고 선물을 하는 것은

나의 소중한 시간과 애정을
선물하는 것과 같다.

빈틈

- 소금인형

오늘도
꼭꼭 잠가둔 내 방에 그 님이 오시었다
어떻게 오셨는지 알 수는 없지만
조용히 앉아서 나를 지그시 쳐다보고 웃으신다

하루 종일 방문을 확인하고
창문에 빗장까지 채워뒀건만,
어디서 빈틈을 발견했는지
어느새 들어와 빙긋이 웃으신다

보고 싶다고 말하면 도망갈까 봐
내가 도망하였더니
님께서 아시고 들어오셨다
가슴에 꼭꼭 묻어둔 말일랑
정 들키지 말아야지

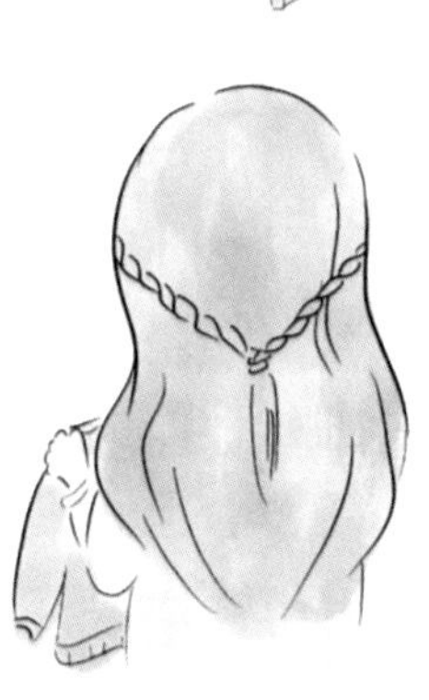

한 겹, 한 겹 들추는 나를 발견하고서
화들짝 놀라 한걸음 물러선다
꼭꼭 잠궈둔 내 방에 그 님이 오시었다

어떻게 오셨는지 알 수는 없지만, 조용히.

실 사랑

- 홈즈사랑

실은 언제나 좋아
새로운 실이면 더 좋아

나에게 없는 실
갖고픈 실
실 욕심은 언제나 사라질까요?

쌓여있는 실 무덤이 점점 커져간다
뜨개 시작하려고 찾으면
필요한 실은 왜 없을까?

실 무덤에 쌓여있는 실은
어디에 사용해 볼까나?

떠서 없애는 실보다
주문하는 실이 더 많은 건 안 비밀!

조금은 유유하게

- 신디

한때는
세상의 잣대를 나에게 대어
힘들게 살아온 때가 있었다

이건 안되고 저것도 안되고,
누군가 미리 만들어 놓은 짜여진 틀에
나를 꽉 끼워 맞추기도 했다

뜨개질을 하다보면
실에 따라서 도안에 따서 조금씩 다르지만
조금은 틀려도 표시가 안나는 부분들이 있기도 하고
한 코가 모자라도 그냥 떠내려가기도 한다

모자라면 조금 더 뜨고
길다면 몇 단 덜 떠가면서 나에게 맞춰 뜨기도 한다
안되는 것이 투성인 이 세상 속에서
이 순간만큼은 나에게 관대해진다

조금은 유유하게 할 수 있는
그런 마음의 여유가 좋다.

단상. 1

- 그림

내 사랑은 외사랑이라
한정 없는 마음이 지쳐 풀릴까 무서워

찌르고
감고
끌어올리고
찌르고
감고…,

별빛 한 줄기 바람
한 자락도 모아서
당신의 이야기
찌르고
감고…,

선이 면이 되는 시간
한 가닥 마음으로 꽃이 피는 시간
찌르고
감고…,
그렇게 내 마음 자라는 시간.

이유

- 바나앨

왜 옷을 뜨고 있어?
그냥 사 입어
이쁜 옷 많아

응! 알아.
근데 아니?
내가 뜬 옷은
이거 하나 뿐이야

이게 바로 명품
못났어도 이쁜 내 새끼!

뜨개와 도안

- 홈즈사랑

뜨는 속도보다 실 사는게 더 좋았던 나
실 무덤에 쌓여 허벅지 찔러가며 참아본다

실 구매하다 부피가 크니
도안 쪽으로 눈을 돌려보기도 한다
예쁜 도안들은 컴퓨터와 폰에 소장
언제 다 떠보나
맘속에 미안함이 쌓이는 도안들

한글도 요즘은 이해가 잘 안되는데
영어에 독일어 일어 덴마크어 등등..
다양한 언어들로 가득한 도안들

뜨개 도안으로
모든 언어 통달하게 되길 바라며
오늘도 도안 수집해 본다.

뜨개는 힐링타임

- 푸른나무 향기

숨 쉴 틈도 없이 바쁜 날들 중 황금 같은 휴일
그나마도 병원에 가려고 낸 연차
봄바람 살랑 부는 날씨에 기분이 좋아진다.

가방엔 늘 한 보따리 뜨개 실과 바늘
잠시 커피숍에 들러
커피 한 잔 텀블러에 담아 가려는데
미안함에 어쩔 줄 모르는 사장님의 말씀

"오늘 주문이 많아 5분 정도 기다리셔야 해요"
"앗싸!"
자리에 앉아 이어폰을 끼고 5분 동안 카드 시작
짧은 5분의 행복
단면 수세미 하나 완성.

"기다리게 해서 죄송해요"
미안해하시는 사장님께
"저는 덕분에 힐링했답니다"라고
건네드린 수세미

카페에서 좋은 음악을 들으며…

살아가는 선물 뜨개

- 하늘여자

세월에 묻혀
몸이 아파 그만하자 생각을 접어보지만,
조금이라도 나아지면
다시 바늘과 실을 잡고 있는 내 모습

시간만 있으면 뜨고, 뜨고 또 뜨는 손놀림
완성하고 행복한 순간들
손끝에서 만들어내는 수많은 이야기

옆지기 퇴직하고 허전하고 두렵던 날들
뜨개 하는 나 때문에 바늘과 실 잡고,
한 땀 한 땀 인형 뜨기 시작으로
그 맥락 없던 시간 견디게 해줬다던 뜨개

내 삶에
살아가고 있음에 활력이 되어주었고,

내 몸 돌볼 여력이 남아 있을 때까지
곁에 두어야만 할 내 분신 같은 뜨개

뜨개란 적당히 나쁘지도 않고 넘치지도 않는
삶의 활력소.

나에게 뜨개란

- 홈즈사랑

뜨개를 잡고 있으면
모든 생각들과 시름이 사라지고,
시간까지 순삭 하게 되는 뜨개
뜨개가 없었다면 이 시간을 어떻게 보냈을까?

옆에서 몸 상해가며 뜨개 하느냐 묻지만
숨쉬기보다 더 좋은 뜨개

내가 뜬 게 제일 안 이뻐 병에도 걸려보고
손목과 손가락 관절에 무리가 되기도하지만
뜨개는 포기할 수 없는 나

나에게 뜨개란 희망을 준다
무념무상 뜨개 하며
오늘 하루 보내고 싶다.

오늘도

- 바나앨

점심시간
식후 30분 쉬는 시간
뜨던 옷을 잡고 앉은 내게 동료가 말한다.
"또 뜨개질해? 점심시간에는 쉬어야지"
“난 이게 쉬는 거야”

드라마 틀어놓고
열심히 옷 뜨는 중
숫자 헤아리는 내게 남편이 하는 말,
"뜨개질 하면 치매는 안 걸리겠다"
“치매만 피할까?”
복합적인 사고력으로
오히려 똑똑해지는 중…

어느 날 친구가
자기도 옷 떠보겠다고 가르쳐 달래서

요래요래 코 잡아서
고무단 뜨고
경사 뜨기 하고
몸 판 소매 나누고,

래글런 늘리면서 뜨다가
소매 분리하라고
한참을 설명했는데….
"머리 아파서 못하겠다~

그냥 하나 떠주라~~"

너 지금 뭐 하는 거니?

우리 식구들은
뜨개 옷을 안 입어서 고맙지
내 것만 뜨면 되니까

좀 잘 못 떠도 괜찮아
큰 건 언니가 입어주고
작은 건 아담한 내 친구가 입어주고,

나는 그냥 재미나게 뜨면 되는 거
그런것이 행복.

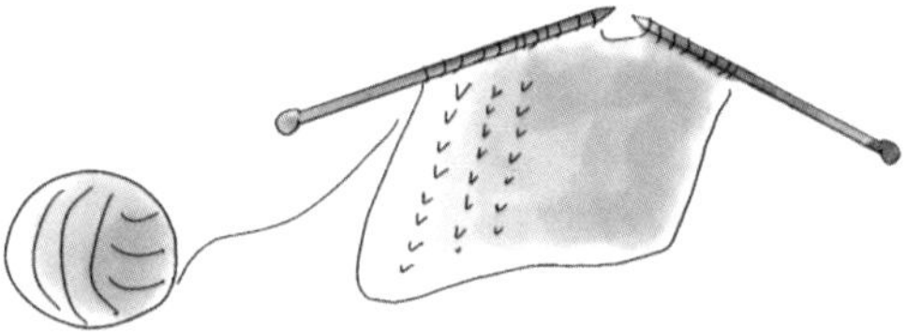

뜨개 이유

- 소금인형

아야,
눈 나빠진다
손목 나간다
그 시간에 좀 자둬라
뭐던다고
디게 그걸 붙잡고 있다냐….

엄마, 엄마도 그랬잖아요
날 새 가면서 제대로 잠도 못 주무시고
손 바지런히 놀려
딸래미 옷 만들어 줬잖아요

난 그래도
엄마가 만들어준 옷이 이쁘다고
고맙다고 말해주는 착한 딸이라도 있지,

엄마 딸은
퉁퉁 불은 얼굴로
사준 옷이 아니라고 퉁박을 줬네요

눈이 나빠지는지
손목이 나가는지
모르겠어요.

지금
내가 뜨고 있는 것은

그리움,
시간,
봄을 준비하는 엄마.

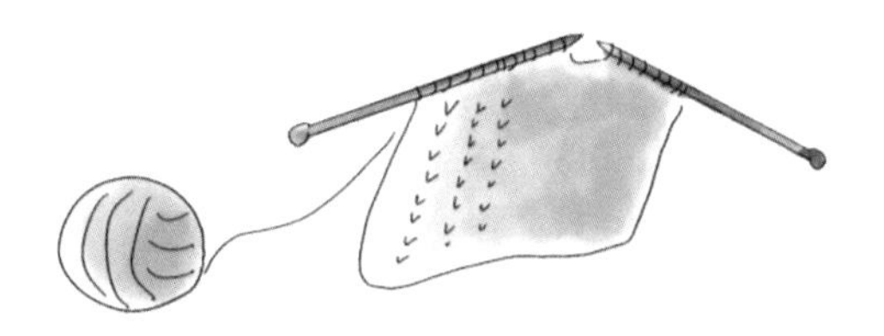

내일은

- MAX

내일은 신나게 놀 수 있겠지
내일은 수영을 가는 날이지
내일은 친구네 집에 가는 날이지

내일은
우리에게 항상 중요한 존재이지
우리에겐 내일이 있기에
하루하루 기대하고 살 수 있는 것

만약
우리에게 내일이 없다면
삶을 살아가는 활력소가 사라지는 것.

아이들,

(아이들의 동시)

우주

- Leo (초 6)

별은 무수히 많은데
우주는 그 모든 별들을 보살핀다

블랙홀이 별들을 공격해도
우주는 블랙홀마저 보살핀다

우주는 따뜻한
우리 엄마같이 모두를 보살핀다.

인형 뽑기

- Lucas (초 5)

거기서 나와줄 수 있겠니?
빨리 좀 나와줄래?
너무 힘들어

벌써 만원째야
너무 답답해

어서 좀 나와줘
집게야, 힘을 내!
나의 인형을 빨리 좀 집어줘.

시간 참 빠르다

- MAX junior (초 4)

이번 주도 참 빠르게 지나갔다
별로 한 것도 없는데
시간은 야속하지만 흘러간다

생각해 보니 몇 달만 지나면 5 학년이다.
나이 먹는 게 참 싫다

왜냐하면 어른이 되면 할 일도 많고
짊어져야 할 무거운 마음의 짐도
많아지기 때문이다

이런 때 생각해 보면
진짜로 시간이 멈췄으면 좋겠다.

최고가 될 거야

- 그냥이랑 친구랑 (초5)

돼지바를 사면
돼지처럼 많이 먹을 수 있어

설레임을 사면
설렐 수도 있어

죠스바를 먹으면
TV에서 상어가 나올 수 있어

누가바를 사면
누가 볼 수도 있어

거북알을 사면
거북이 알이 생길 수도 있어

그러니까
엑설런트를 사면
난 최고가 될 거야!

봄

- 준석 (초 3)

따뜻함과 차가움이
줄다리기를 하는 계절

봄.

서로 줄다리기를 하다가
마당에 핀,

민.
들.
레.
꽃.